O9-BTM-401

Chomik Wincent i świat sztuki

Witajcie, drodzy Czytelnicy!

Na imię mam **Wincent** – jak słynny malarz!* – i zapraszam Was w podróż po świecie sztuki. Nie myślcie sobie, że jestem chwalipiętą, ale wybitny ze mnie specjalista od świata artystów i ich twórczości. Przez całe lata

miałem swoją klatkę w sali wykładowej Akademii Sztuk Pięknych. To tutaj mądrzy profesorowie nauczali o wielkich malarzach i rzeźbiarzach, a i sami artyści pojawiali się, by dzielić się tajnikami swojego warsztatu. Nasłuchałem się, oj nasłuchałem: o kolorach, stylach, technikach malarskich, o dolach i niedolach życia artysty...

Krótko mówiąc: jestem największym znawcą sztuki wśród chomików! Chciałbym się tą wiedzą z Wami podzielić i zarazić Was miłością do malowania i rysowania.

Zapraszam w niezwykłą podróż śladami wielkiej sztuki.

Dziś: Stanisław Wyspiański

---

* Vincent van Gogh – malarz holenderski, autor „Słoneczników"

Anna Chudzik
Izabela Marcinek

Stanisław Wyspiański

BOSZ

Czas i miejsce

Stanisław Wyspiański urodził się w **Krakowie** i przez większość życia tu mieszkał. Na pewno znacie to piękne miasto nad Wisłą – cóż to za historia, ilu polskich władców tu żyło, ile ważnych wydarzeń miało miejsce! Krakowski **Rynek z kościołem Mariackim i Sukiennicami**, **zamek królewski na Wawelu**... Jeśli wierzyć legendom założycielem grodu był król **Krak**. Tu dzielny szewczyk Dratewka miał pokonać **smoka wawelskiego** – groźną bestię, której jamę można zwiedzić na Wawelu. Historycy potwierdzają, że Kraków liczy ponad tysiąc lat i przez całe wieki był stolicą Polski i siedzibą polskich królów.

Trudny dla Polski czas przyszedł pod koniec XVIII wieku, kiedy państwo polskie przestało istnieć. Ale choć zniewolone, miasto rozwijało się i unowocześniało: w XIX wieku wybudowano kolej, zburzono większą część średniowiecznych murów (to akurat szkoda), zasypano fosy, a na ich miejscu zasadzono **Planty** – wielki park wokół Starego Miasta, dziś ulubione miejsce odpoczynku krakowian i... wiewiórek.

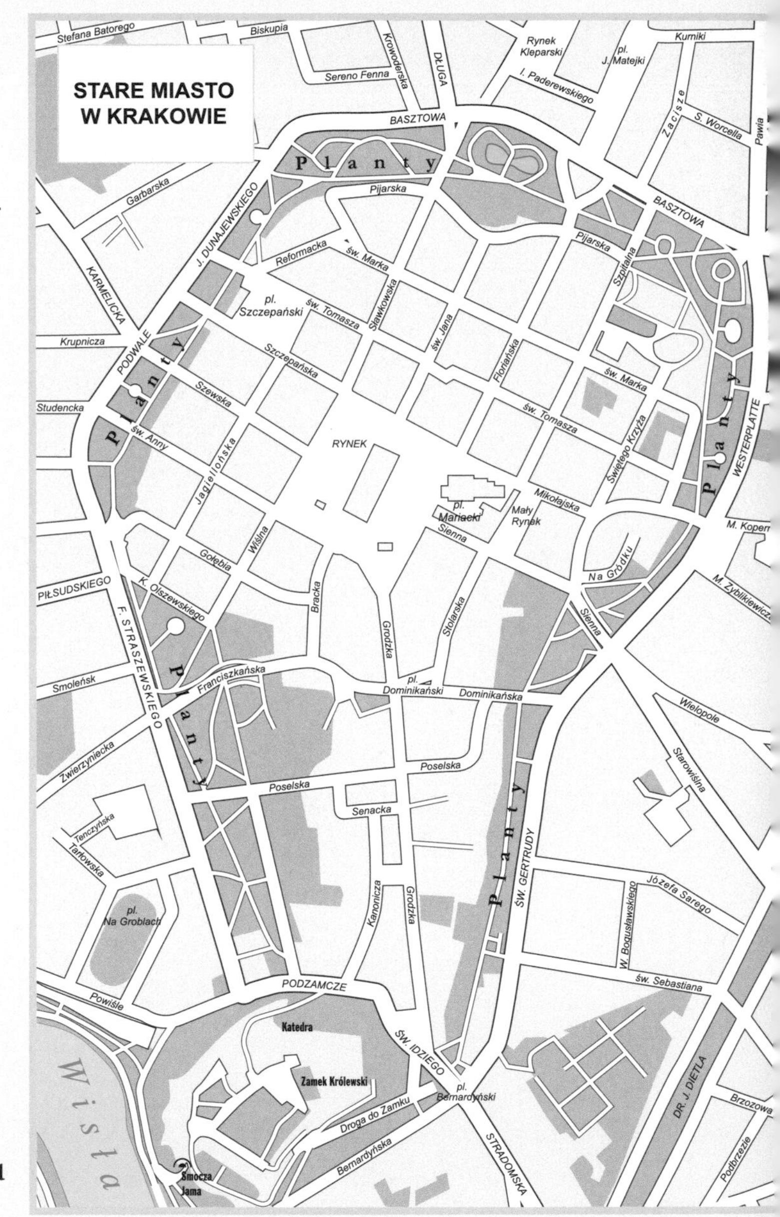

Krakowski Rynek z lotu ptaka

Ja też mieszkam
w Krakowie

Z czasem pozwalano na coraz większą swobodę myśli naukowcom i twórcom. Szczególnie aktywnie działali artyści: poeci, pisarze, a także studiujący w **Szkole Sztuk Pięknych** malarze i rzeźbiarze.

A co wokół Krakowa? Piękna przyroda i malownicze wioski. Podobały się one artystom, mówiono wręcz o **ludomanii**, czyli o zafascynowaniu wsią, jej obrzędami, strojami i mieszkańcami. Bo wieś była taka barwna, prawdziwa i polska...

a to ciekawe!

Szkoła Sztuk Pięknych to uczelnia artystyczna powstała w Krakowie w 1873 roku. Uczono tu malarstwa, rzeźby, grafiki i architektury. Jej pierwszym dyrektorem był **Jan Matejko**, sam będący wybitnym malarzem. Dziś nosi nazwę: Akademia Sztuk Pięknych im. Jana Matejki.

Życie artysty

Staś urodził się **15 stycznia 1869 roku** w Krakowie, w rodzinie **Franciszka i Marii Wyspiańskich**. Ojciec przyszłego malarza także był artystą – zajmował się rzeźbiarstwem.

Niestety, niezbyt szczęśliwe jest dzieciństwo Stasia – gdy ma sześć lat, umiera jego młodszy braciszek Tadeusz, a rok później – ukochana mama.

W wieku dziesięciu lat Staś rozpoczyna naukę w **Gimnazjum św. Anny**. Już wtedy interesuje go tworzenie – zdarzało mu się w szkole rysować karykatury profesorów i kolegów. Wychowaniem Stanisława zajmuje się jego **ciotka, Joanna Stankiewiczowa**. W jej domu często gości **Jan Matejko**,

Młody Stanisław Wyspiański

Franciszek Wyspiański

Maria Wyspiańska

wielki malarz, który staje się dla chłopaka mistrzem i udziela mu wielu cennych rad.

Po maturze Stanisław rozpoczyna studia na Uniwersytecie Jagiellońskim w Krakowie i równolegle rozwija swój talent w **Szkole Sztuk Pięknych**.

W następnych latach wielokrotnie wyjeżdża z Krakowa, podróżuje po Europie, mieszka w Paryżu we Francji, gdzie uczy się, maluje, spotyka słynnych malarzy.

Oprócz malarstwa fascynuje go też **teatr**.

1869 — 1907

1800 1810 1820 1830 1840 1850 1860 1870 1880 1890 1900 1910 1920 1930

popatrz

W tej kamienicy przy ulicy Krupniczej w Krakowie urodził się Staś Wyspiański. Dziś mieści się tu muzeum poświęcone Józefowi Mehofferowi, przyjacielowi Stanisława z lat szkolnych, także artyście malarzowi.

a to ciekawe!

Tak Stanisław Wyspiański po latach wspominał wizyty w pracowni rzeźbiarskiej swojego ojca:

U stóp Wawelu miał ojciec pracownię,
wielką izbę białą wysklepioną,
żyjącą figur zmarłych wielkich tłumem;
tam chłopiec mały chodziłem, co czułem,
to później w kształty mej sztuki zakułem (...).

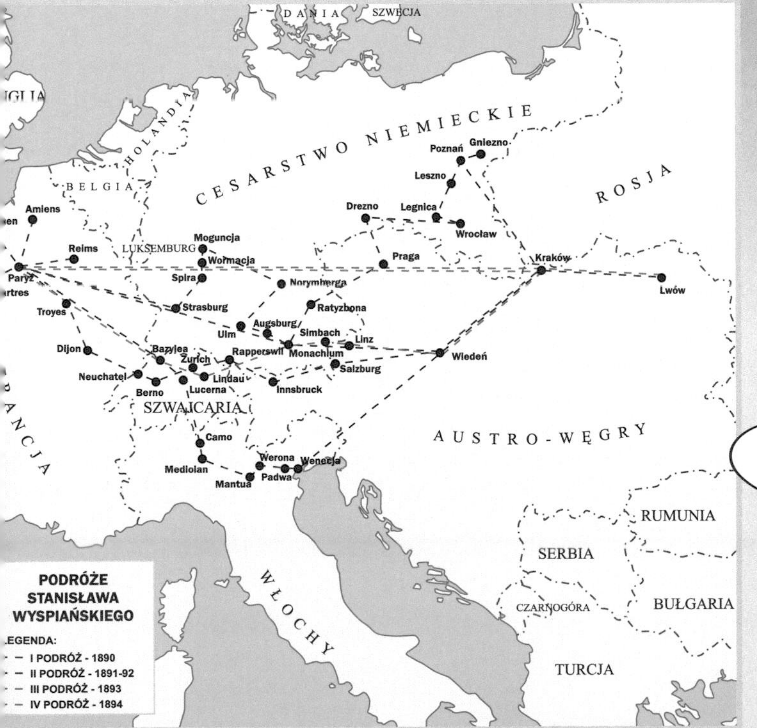

Stanisław Wyspiański z żoną

Helenka

Miecio

W trakcie pierwszych swoich prac malarskich poznaje Wyspiański młodą dziewczynę ze wsi – **Teodorę Teofilę Pytko** – i zakochuje się w niej. Ślub biorą w 1900 roku. Mają troje dzieci: **Helenkę**, **Miecia i Stasia**, które ojciec z upodobaniem portretuje – o ile zgadzają się przez chwilkę posiedzieć bez ruchu lub... śpią.

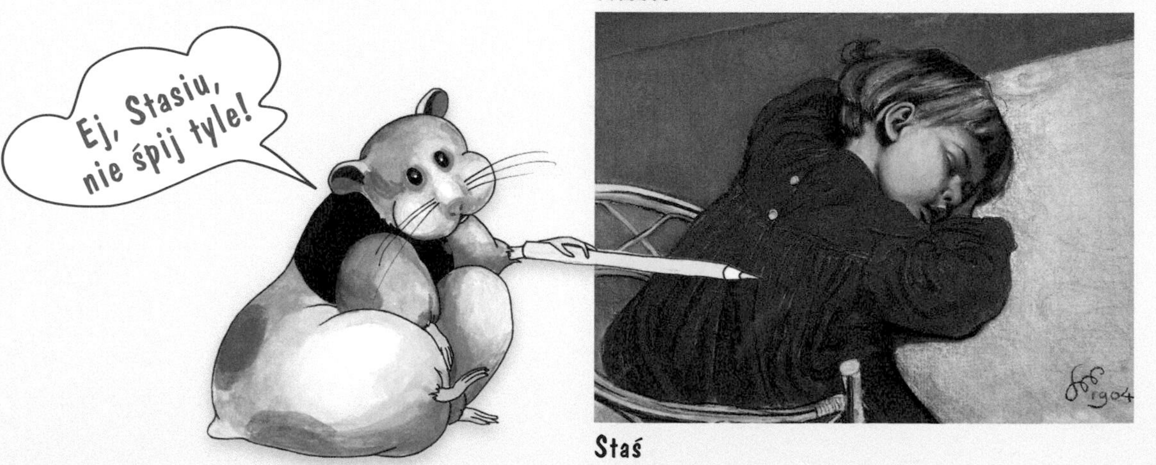

Staś

Stanisław Wyspiański to jeden z najbardziej utalentowanych artystów polskich. Był **malarzem i grafikiem**, twórcą **witraży**, **projektów książek**, a nawet **mebli**.

Jeszcze gdy był studentem, mistrz Matejko zaproponował mu udział w wykonaniu polichromii w kościele Mariackim w Krakowie. Później Wyspiański projektował **polichromie i witraże** do innych krakowskich kościołów.

Najbardziej znane dzieła Wyspiańskiego to **portrety i pejzaże**. Najchętniej używał pasteli, rzadziej malował farbami olejnymi. Rysował także węglem i ołówkiem.

Wyspiański ilustrował także czasopisma i wiele utworów literackich, między innymi „Iliadę" Homera.

Drugą jego pasją były **teatr i literatura**. Pisał **wiersze**, ale przede wszystkim dramaty*. Największą sławę przyniosło mu wystawione w 1901 roku „**Wesele**". Sztuka ta była opisem zabawy weselnej z okazji ślubu przyjaciela artysty z dziewczyną ze wsi – czyli małżeństwa podobnego, jak jego własne. Do swoich dramatów Wyspiański projektował także **kostiumy i dekoracje**.

a to ciekawe!

Co to jest antyk?

Antyk to określenie sztuki powstałej bardzo dawno temu, od XII wieku przed naszą erą do V wieku naszej ery, głównie na terenie Grecji i Rzymu. Sztuka ta cechuje się poczuciem harmonii i piękna. Przykłady sztuki antycznej: rzeźby pięknych ludzi i bogów, ozdobne kolumny, ornamenty roślinne.

---

* dramat – utwór o tematyce poważnej, przeznaczony do wystawiania w teatrze, a więc pisany z podziałem na role.

Antyczny bohater „Iliady" narysowany przez Wyspiańskiego

popatrz

Sztuka użytkowa to między innymi wymyślanie kształtów mebli i wystroju pomieszczeń. Ten salon zaprojektował Wyspiański.

Niestety, Stanisław cierpiał na nieuleczalną chorobę i zmarł **w 1907 roku**, w wieku 37 lat. Jego pogrzeb był wielką, żałobną uroczystością dla Polaków, a pochowano go w krakowskim **kościele Paulinów**, nazywanym też **kościołem na Skałce**.

a to ciekawe!

Krypta Zasłużonych w kościele Paulinów na Skałce w Krakowie – tu spoczywa Stanisław Wyspiański, obok innych wielkich Polaków.

Twórczość – witraże i polichromie

W 1891 roku **kościół Mariacki** był odnawiany, przywracano mu dawny, gotycki wygląd. Do pomocy wzięto młodego Stanisława oraz jego kolegę Józefa Mehoffera. Zajmowali się malowaniem **polichromii**. Wtedy też przygotowali projekt wielkiego **witraża** do okna kościoła, przedstawiającego **sceny z życia Matki Boskiej**, między innymi scenę **„Ucieczki do Egiptu"**. Namalowana jest ona farbami akwarelowymi na papierze.

popatrz →

Witraż to ozdobne okno wykonane z kawałków kolorowego szkła wprawianych w metalowe ramki. Ramki te tworzą kontur rysunku, można też farbą na szkle narysować dodatkowe elementy. Zanim wykona się witraż, tworzy się jego projekt na papierze. Witraże najczęściej można zobaczyć w kościołach.

a to ciekawe!

Historia ucieczki do Egiptu opisana jest w „Biblii". Król Herod chciał zabić Jezusa, gdyż bał się, że ten zabierze mu władzę. Św. Józefa ostrzegł o tym niebezpieczeństwie anioł, który objawił mu się we śnie. Matka Boska wraz ze św. Józefem i małym Jezusem uciekli z Judei do Egiptu.

W kościele Mariackim w Krakowie

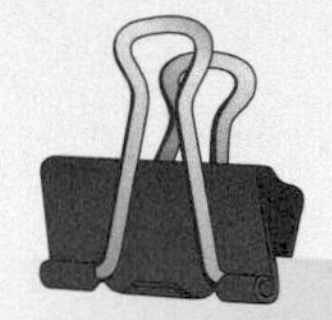

a to ciekawe!

Polichromia – kolorowe malowidła ozdobne na ścianach, sufitach, a nawet rzeźbach.

popatrz

←

Gotyk to styl w sztuce, powstały w połowie XII wieku. Kościoły stawiane w tym stylu miały wiele okien wypełnionych witrażami, strzeliste wieże, bogato zdobione ściany. Malowidła naścienne (polichromie i freski) przedstawiały postaci świętych i sceny biblijne.

Wyspiański wykonał także projekty witraży do **kościoła Franciszkanów w Krakowie**. Jednym z nich jest witraż przedstawiający postać błogosławionej Salomei, otoczonej przez kwiaty – kaczeńce i lilie.

a to ciekawe!

Salomea była polską księżniczką. Po śmierci męża wstąpiła do zakonu klarysek, gdzie wiodła ubogie życie. Po jej śmierci działy się cuda uzdrawiania, więc uznano ją za błogosławioną. Ciało Salomei spoczywa w podziemiach kościoła Franciszkanów.

← popatrz

Na witrażu widać, jak z rąk Salomei wypada korona. To symboliczny wyraz jej decyzji o tym, żeby zrezygnować z władzy, zaszczytów i bogactwa i poświęcić swoje życie Bogu.

zrób to sam

Pokoloruj witraż według własnego pomysłu.

Dla **katedry na Wawelu** przygotował Wyspiański projekty witraży przedstawiających polskich władców, świętych i wizjonerów. Były to jednak wizerunki bardzo odważne, nie wszystkim się podobały. **Król Kazimierz Wielki** został przedstawiony jako trup odziany w królewskie szaty i posiadający królewskie insygnia – koronę i berło.

a to ciekawe!

Kazimierz Wielki – król Polski, żyjący w XIV wieku. Ten wybitny władca założył wiele miast, zamków i kościołów, a także wzmocnił i unowocześnił Polskę. Dlatego mówi się o nim, że „zastał Polskę drewnianą, a zostawił murowaną".

popatrz

Pomysł, aby przedstawić króla jako kościotrupa, być może zainspirowany został przez ekshumację (czyli wydobycie z grobu) szczątków króla Kazimierza Wielkiego. Stanisław znał namalowany przez Jana Matejkę obraz tego wydarzenia oraz szczegółowe rysunki wydobytych z grobu przedmiotów i szkieletu. Na Wyspiańskim prace te wywarły ogromne wrażenie.

Wnętrze grobu Kazimierza Wielkiego

a to ciekawe!

Wyspiański jest autorem witraża przedstawiającego **Apolla**. Znajduje się on w oknie kamienicy przy ulicy Radziwiłłowskiej 4 w Krakowie. Apollo to antyczny bóg słońca, światła, mądrości, nauki – dlatego otacza go krąg planet. To również bóg poezji – dlatego na plecach ma przypiętą kitarę (grecki instrument towarzyszący śpiewowi).

Tak o królu pisze Wyspiański w poemacie „Kazimierz Wielki":

W szkarłatach mię spowito w złotej trumnie
i pochowano na wawelskiej górze,
a tam sarkofag stawiono w marmurze,
gdzie z berłem i w koronie spałem dumnie.

Jedną z najsłynniejszych prac Wyspiańskiego jest witraż z **kościoła Franciszkanów „Bóg Ojciec”**. Przedstawia on Boga tworzącego świat. Jego uniesiona w górę dłoń obrazuje moc powoływania do życia.

popatrz

Zobacz, jak różnią się kolory namalowanego projektu i gotowego witraża.

zrób to sam

Witraż nie musi być ze szkła, można go zrobić także z bibuły.

Przygotuj: bibułę w różnych kolorach (najlepiej niemarszczoną), czarny papier samoprzylepny lub zwykłą kartkę pomalowaną na czarno, 2 kartony (lub kartki z bloku technicznego), nożyczki i klej.

1.
Naklej czarny papier na karton. Na odwrocie kartonu namaluj wzór witraża. Pamiętaj, że musi mieć ramki – najlepiej dosyć szerokie. Możesz też skorzystać z gotowych szablonów, dostępnych w sklepach i internecie.

2.
Ostrożnie wytnij wzór z kartonu. Odrysuj wycięty szablon na drugim kawałku kartonu i też go wytnij.

3.
Wytnij z bibuły „szybki" do okienek. Pamiętaj, żeby końce wyciętego kawałka bibuły („szybki") chowały się za czarną ramką.

4.
Po kolei przyklej wycięte z bibuły „szybki" do białej strony kartonu.

5.
Gdy skończysz, do białej strony kartonu przyklej drugi karton, aby ukryć miejsca przyklejenia bibuły.

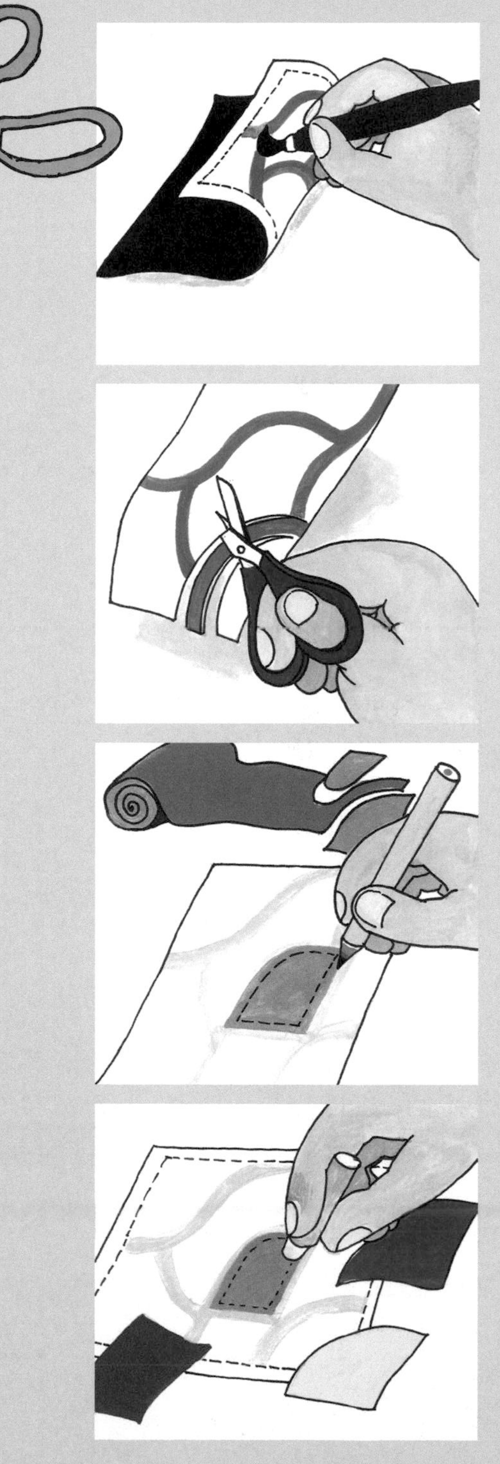

W polichromiach i witrażach Wyspiańskiego ważne miejsce zajmowały **rośliny**. Artysta malował je z upodobaniem z dwóch powodów. Po pierwsze należały one do świata przyrody, którą był zafascynowany. Po drugie stanowiły inspirację **secesji** – modnego wówczas stylu w malowaniu i projektowaniu.

W polichromiach i witrażach kościoła Franciszkanów ukrywa się cała łąka kwiatów: bławatki, rumianki, maki, kąkole, dziewanny i wiele innych.

a to ciekawe!

Secesja – styl w sztuce europejskiej końca XIX i początku XX wieku. Cechy charakterystyczne stylu secesyjnego to: faliste linie, inspiracja przyrodą, wzory geometryczne, ozdobność oraz pastelowe kolory.

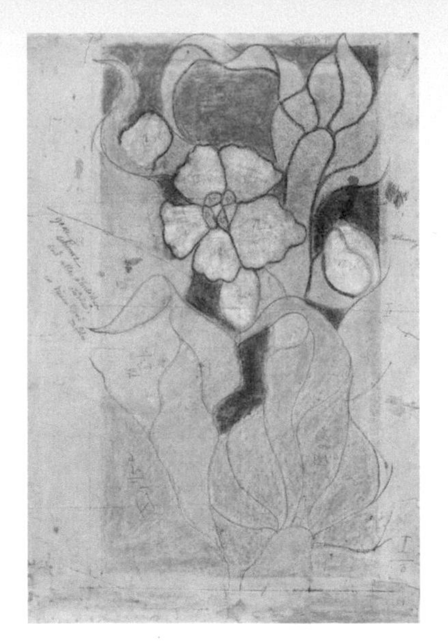

popatrz

Kaczeńce i lilie z witraża „Święta Salomea". Które z nich możesz znaleźć na stronie 14?

Wyspiański bardzo interesował się roślinami – już od młodości prowadził zielnik. Szkicował w nim i opisywał rośliny, a notatki te wykorzystywał potem w swoich pracach.

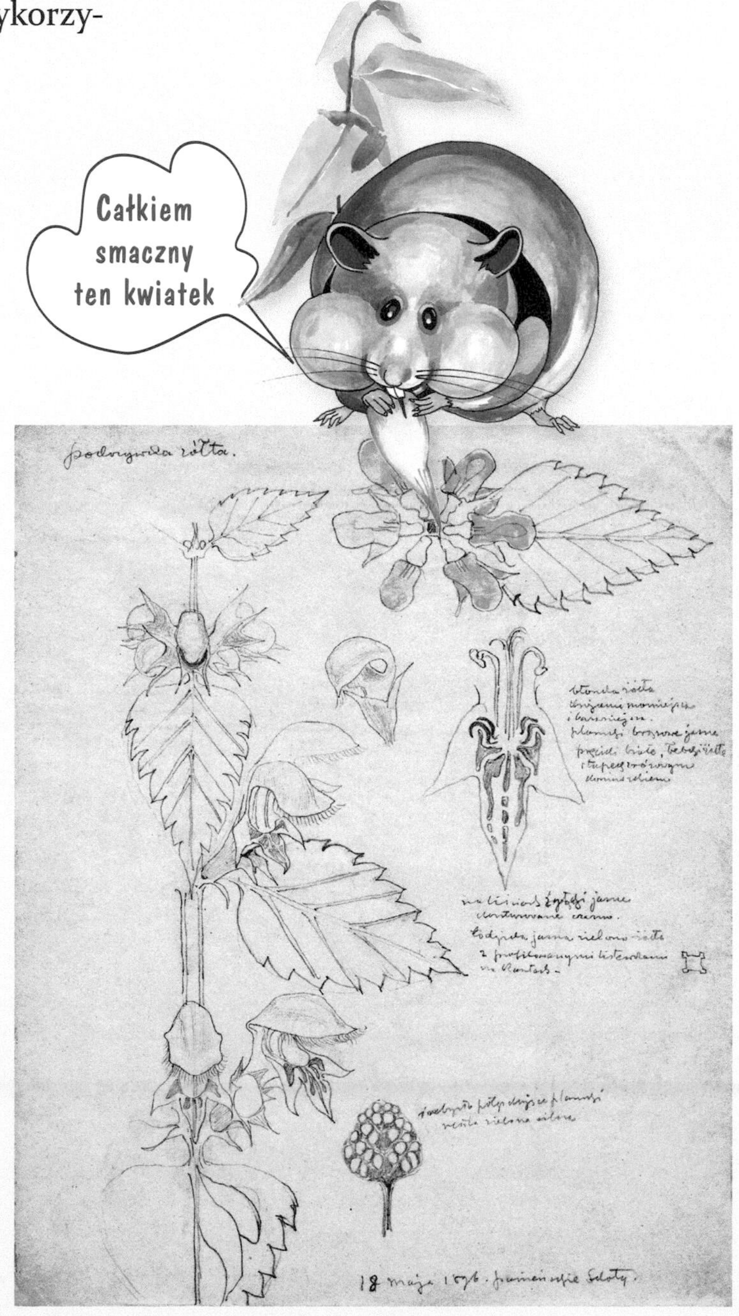
Całkiem
smaczny
ten kwiatek

popatrz

Gajowiec żółty – porównaj rośliny na zdjęciu i na rysunku z zielnika Wyspiańskiego.

Róże

Słoneczniki

a to ciekawe!

Róża jest kwiatem, któremu często nadawane jest dodatkowe znaczenie. Staje się wtedy symbolem. Czerwona róża podarowana komuś jest symbolem miłości. W malarstwie róża bywa symbolem Matki Boskiej.

Zobacz, jak wiernie malarz oddał kolory i kształty kwiatów.

popatrz

Tak wygląda ten sam kwiat namalowany ołówkiem, kredkami, pastelami i farbami olejnymi.

a to ciekawe!

Wszystkie kolory, jakich możesz użyć podczas malowania, tworzą koło barw.

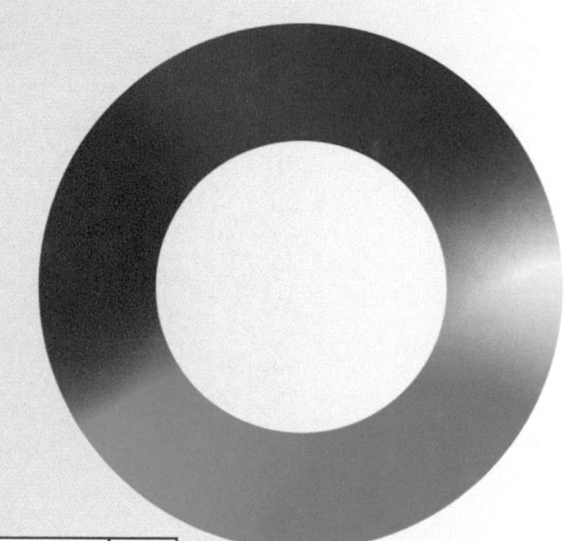

zrób to sam

Pokoloruj fragment polichromii z nasturcjami według własnego pomysłu.

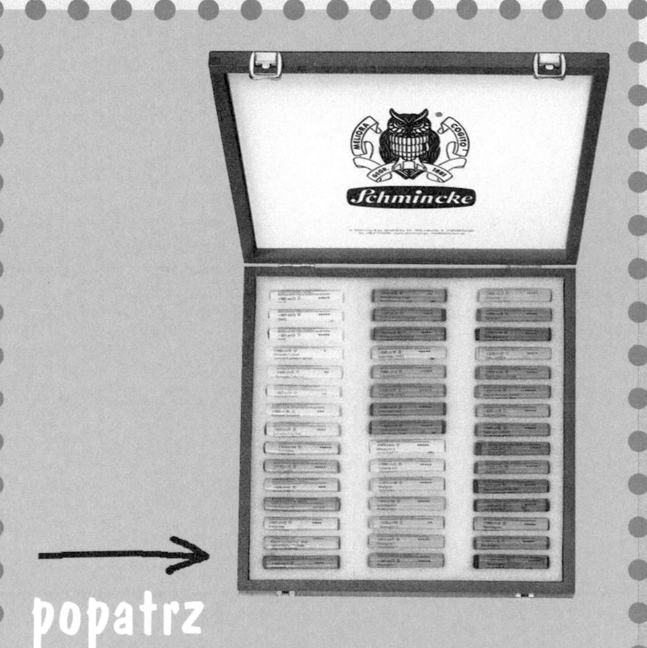

popatrz

Pastele to rysujące pałeczki o bardzo bogatych kolorach, które można dodatkowo mieszać ze sobą na papierze. Są różne typy pasteli: twarde i miękkie, kredowe, ołówkowe i olejne. Na początek warto kupić mały zestaw różnych pasteli, aby przekonać się, których najchętniej używasz. Przyda się także: **fiksatywa** – płyn do utrwalania rysunku (pastele łatwo osypują się z papieru) oraz **szorstki papier**, na którym pastele dobrze się trzymają.

UWAGA! Jeśli chcesz użyć fiksatywy, poproś o pomoc rodziców, którzy pomogą Ci dobrze wywietrzyć pokój.

zrób to sam

Jak namalować kwiat pastelami?

1.
Narysuj kontury płatków i pokoloruj je.

2.
Miejsca zacienione zaznacz ciemną kredką, a najbardziej oświetlone – jaśniejszą.

3.
Narysuj środek kwiatka oraz kontury liści.

4.
Pokoloruj liście.

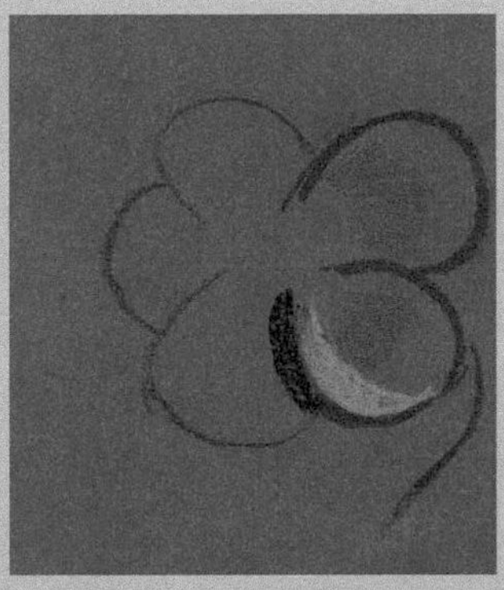

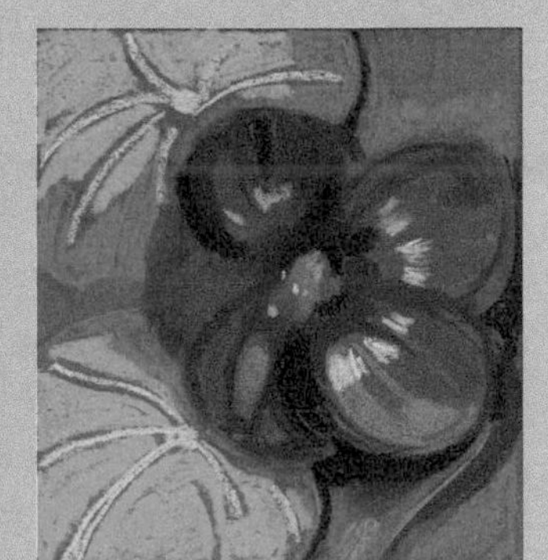

Portrety

Najchętniej malował Wyspiański **portrety**. Ukazywał na nich swoją rodzinę, dzieci, przyjaciół oraz znane osoby. Malował **węglem** lub **pastelami** na papierze. W ten sposób także zarabiał na życie – wykonywał portrety na życzenie. Najulubieńszymi modelami były dla niego dzieci – i własne, i znajomych, czasem obce. Malował je w naturalnej pozie, bez ustawiania, często nieuczesane czy umorusane, przedstawione w chwili zadumy lub snu.

Obok dwa portrety córki Helenki – na jednym uchwycona jest jako mała, zaspana dziewczynka, na drugim – już nieco starsza, zadumana, palcem dotyka wazonika z kwiatami.

A portretu chomika nie namalował...

popatrz

Wyspiański obrysowywał ciemnym konturem niektóre części kolorowego rysunku, aby były bardziej wyraziste. U małej Helenki w ten sposób zostały podkreślone oczy i usta.

a to ciekawe!

Wyspiański używał do portretowania pasteli, a nie farb olejnych, bo... były tańsze. Ponieważ najczęściej było u niego krucho z pieniędzmi, wolał wykonać tanimi pastelami portret w kilka godzin, niż drogimi farbami olejnymi obraz, który schnie przez tydzień.

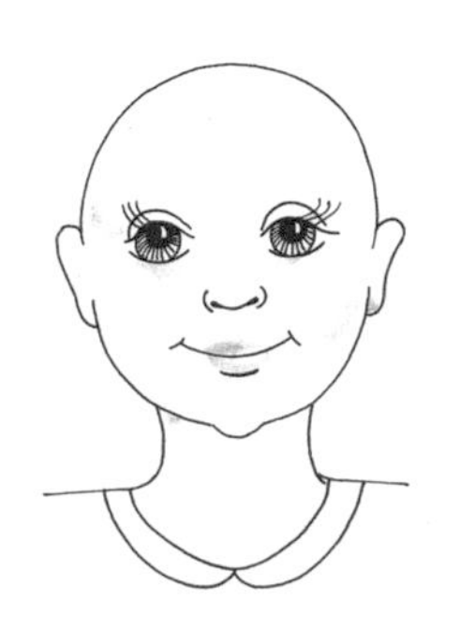
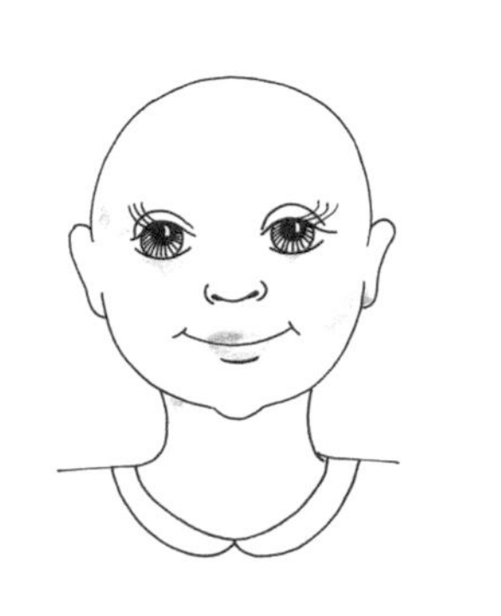
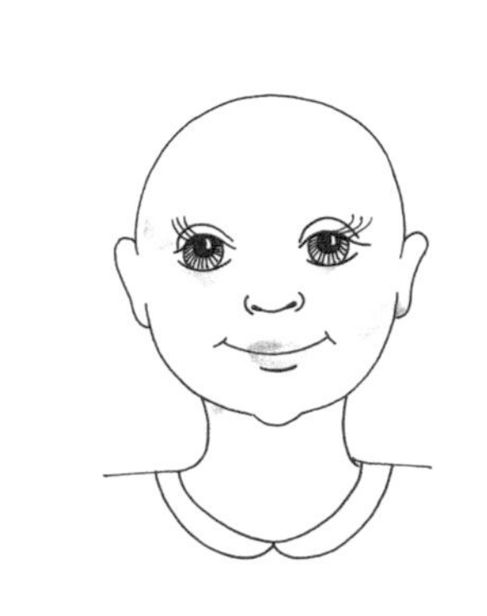
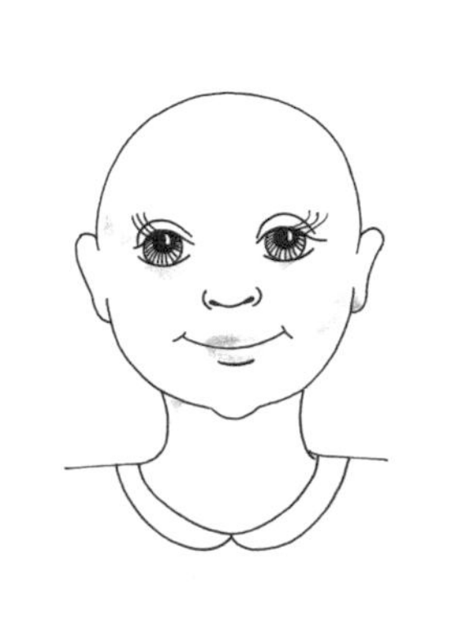

zrób to sam

Dorysuj do twarzy dziewczynki różne fryzury, możesz też użyć kilku technik – kredek, farb plakatowych, pasteli, flamastrów. Zobacz, jak bardzo fryzura zmienia wygląd postaci.

A to **Józio**, syn przyjaciela Stanisława, pana Feldmana. Józio wydaje się już nieco znudzony pozowaniem – podpiera twarz ręką.

zrób to sam

Spróbuj przerysować ołówkiem portret Józia z małej siatki na dużą. Pokoloruj portret według własnego pomysłu.

Obraz pod tytułem „**Macierzyństwo**” przedstawia żonę artysty – Teodorę karmiącą małe dziecko oraz jego córkę Helenę, która się temu przygląda.

Na obrazie Helenka przedstawiona jest aż dwa razy: z przodu, czyli **en face** (nazwa w języku francuskim, wymowa: ą fas), i z boku, czyli **z profilu**. Dzięki temu artysta wyraził upływ czasu – podczas karmienia Helenka zmienia miejsce i przygląda się dziecku z różnych stron.

popatrz

Zwróć uwagę na piękne, geometryczno-roślinne wzory na ubraniach portretowanych osób, a także na kwiaty w tle. To przykłady secesji w malarstwie.

a to ciekawe!

Motyw macierzyństwa, czyli przedstawienie matki karmiącej dziecko i opiekującej się nim, często pojawia się w sztuce.

I jeszcze jedno zaspane dziecko.

zrób to sam

Popatrz na włosy dziecka – ich odcienie uzyskano przez rozmazanie palcami kilku kolorów pasteli. Spróbuj także w ten sposób namalować włosy.

zrób to sam

Malując tkaninę, należy umiejętnie pokazać jej zagięcia i fałdy. Znajdź w domu wstążkę lub tasiemkę, ułóż ją tak, aby powstały zagięcia, i spróbuj ją narysować ołówkiem.

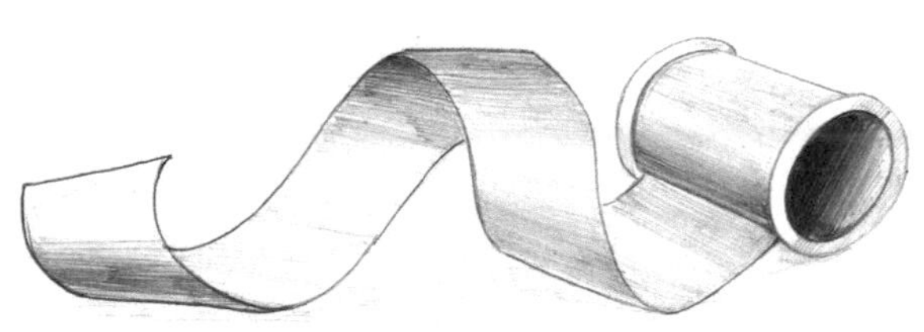

Wyspiański kochał teatr i bardzo lubił portretować **aktorów** w strojach scenicznych. Tu przedstawił aktorkę grającą postać **Krasawicy** w sztuce „Bolesław Śmiały”. Wygląda na zmęczoną, być może portret wykonano po spektaklu.

a to ciekawe!

Krasawicą nazywa się piękną dziewczynę.

popatrz

Malując portret, pamiętaj o proporcjach twarzy:

- odległość między oczami jest podobna do długości oka,
- góra ucha kończy się na wysokości brwi,
- nos jest długości brody i czoła.

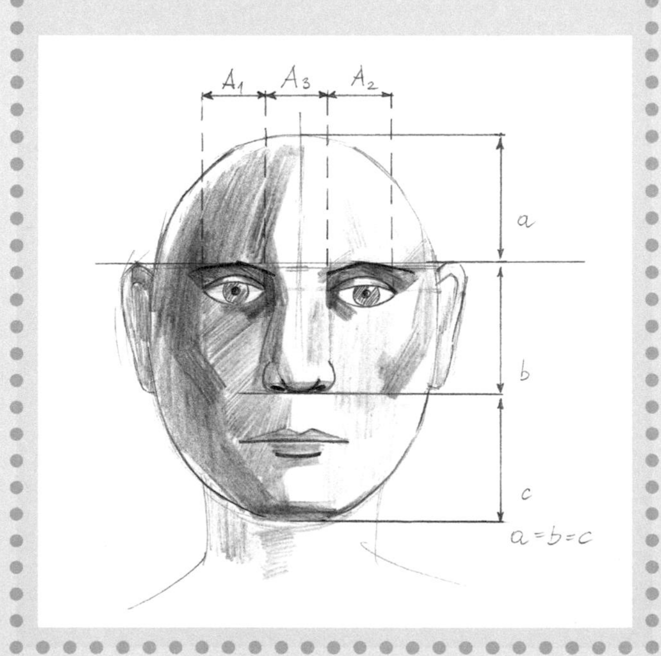

Wyspiański projektował **scenografię i kostiumy** do sztuk wystawianych w teatrze na podstawie jego dramatów. Utwory te najczęściej opowiadały o **dawnej historii Polski**. Drugi ulubiony temat dramatopisarza to **polska wieś**.

Widoczne na ilustracjach postacie to projekty kostiumów do sztuki „Bolesław Śmiały". **Król i królowa** ubrani są w stroje ludowe, ale mają także historyczne insygnia władzy, jak miecz, korona, ozdoby.

Na tym portrecie artysta przedstawił **Władysława Mickiewicza**.
Narysował go w dostojnej pozie, z profilu, węglem na papierze.

a to ciekawe!

Bolesław Śmiały – król Polski, żyjący w XI wieku.

a to ciekawe!

Władysław Mickiewicz to syn Adama Mickiewicza, wielkiego polskiego poety.

Portret przyjaciela Wyspiańskiego, lekarza i uczonego **Juliana Nowaka**. Namalowany jest pastelami.

Autoportrety

Stanisław Wyspiański namalował kilkadziesiąt **autoportretów**, czyli portretów siebie samego. Widać na nich, jak zmieniał się Wyspiański i jego twórczość.

1. Pierwszy autoportret wykonany jest ołówkiem i przedstawia młodego chłopaka. W oczach widać ciekawość świata.
2. Drugi wykonany jest pastelami i ukazuje poważnego mężczyznę.
3. Trzeci autoportret wykonany jest węglem przez bardzo już chorego artystę, niesprawną ręką. Na twarzy Wyspiańskiego widać smutek i zmęczenie.

Pejzaże

Stanisław Wyspiański większość swojego życia spędził w Krakowie, ale często zmieniał mieszkania. Z upodobaniem malował swoje otoczenie – tworzył **pejzaże** ukazujące **Kraków i jego okolice**. Malował także **widoki wiejskie i krajobrazy**.

a to ciekawe!

Pejzaż – to obraz przedstawiający widok miasta, wsi lub natury.

Planty, czyli park otaczający Stare Miasto w Krakowie, to jedno z bardziej znanych miejsc dawnej stolicy. Na obrazie artysta przedstawił aleję prowadzącą na Wawel. W tle widać **zamek królewski**.

popatrz

Spójrz na zdjęcie i obraz Wyspiańskiego: czy przedstawiają Planty w takiej samej porze dnia i roku?

Z okna swojego mieszkania przy ulicy Krowoderskiej Wyspiański miał widok na **kopiec Kościuszki**, drogę i nasyp kolejowy. Zaintrygowała go zmienność tego widoku w zależności od pogody, pory dnia i roku. Namalował ten widok ponad 40 razy – za każdym razem inaczej.

popatrz

Opisz pogodę i porę roku na czterech widokach kopca Kościuszki.

– Brrr, zimno!!!

popatrz

Kiedy malujemy pejzaż, musimy uwzględnić perspektywę, czyli sposób pokazania obiektów bliższych i dalszych.
W wizerunkach kopca Kościuszki wykorzystane zostały:

perspektywa liniowa – im dalej jest coś od patrzącego, tym wydaje się mniejsze. Dlatego droga zwęża się, a drzewa w oddali są mniejsze niż te blisko widza.

perspektywa powietrzna – to, co jest dalej od nas, widzimy mniej wyraźnie niż to, co jest blisko. Dlatego położony daleko od nas kopiec jest przesłaniany przez deszcz czy wiatr, a szczegóły w oddali – niewidoczne.

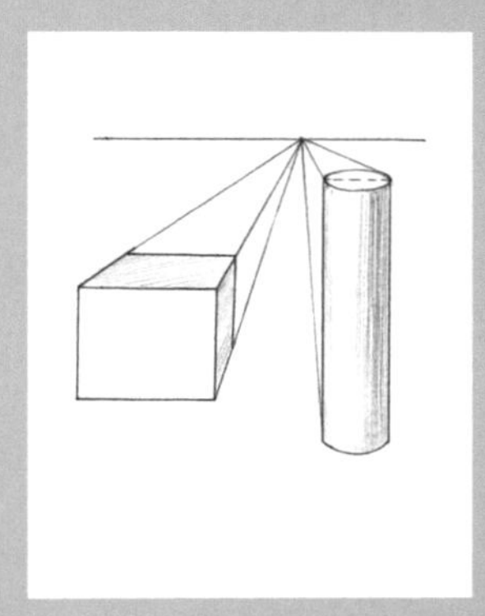

a to ciekawe!

Kopiec Kościuszki – sztucznie usypane wzniesienie na cześć Tadeusza Kościuszki. Kościuszko to polski bohater narodowy, przywódca powstania przeciwko zaborcom.

zrób to sam

Namaluj widok z Twojego okna podczas deszczu, śniegu i przy ładnej pogodzie.
Opisz, które elementy pejzażu wciąż są takie same, a które się zmieniają.

Czasami Wyspiański malował widoki z nietypowej perspektywy. Na obrazie poniżej widzimy **wieże kościoła Mariackiego**, ale w „ramce” utworzonej przez fragmenty ścian i dachów Sukiennic.

Na kolejnym widać **Wisłę** oglądaną z Wawelu. Po lewej stronie widzimy mury i wieżę z zegarem, ważną część pejzażu stanowią też wiszące nad miastem chmury.

popatrz

Wizjer – przyrząd pomagający w malowaniu pejzażu. Ma postać prostokątnej ramki z wyciętym środkiem. Można go wykonać z kartonu.

zrób to sam

Przygotuj prosty wizjer. Spróbuj wykorzystać go na spacerze i namalować pejzaż. W tym celu musisz znaleźć miejsce, gdzie będzie Ci wygodnie rysować, a wizjer będzie miał stabilne oparcie (nie może się przesuwać).

Pod koniec życia Stanisław mieszkał we wsi Węgrzce. Jednak już dużo wcześniej odkrył urodę **wiejskich widoków** i lubił je malować. Takie pejzaże widzimy na obrazach obok. Widać na nich chatę i gospodarstwo we **wsi Konary**, gdzie Wyspiański spędzał wakacje. Jasne kolory i barwa nieba pokazują, że była wówczas piękna, słoneczna pogoda.

popatrz →

Przyjrzyj się białym ścianom chat. Pokaż, które ich fragmenty były w słońcu, a które w cieniu.

A kuku!

Stanisław Wyspiański zajmował się także ilustrowaniem i projektowaniem **książek i czasopism**. Przygotowywał ilustracje do książek, projektował do nich okładki, a **czasopismo „Życie”** ozdabiał dekoracyjnymi, secesyjnymi rysunkami. Elementem projektu jest także wybór **czcionki**, czyli kształtu liter.

a to ciekawe!

Typografia to sztuka tworzenia pięknych książek, czyli doboru czcionek i ilustracji oraz ich układu na stronie. Dziś książki projektuje się z pomocą programów komputerowych.

LEGENDA

NAPISAŁ STANISŁAW WYSPIAŃSKI

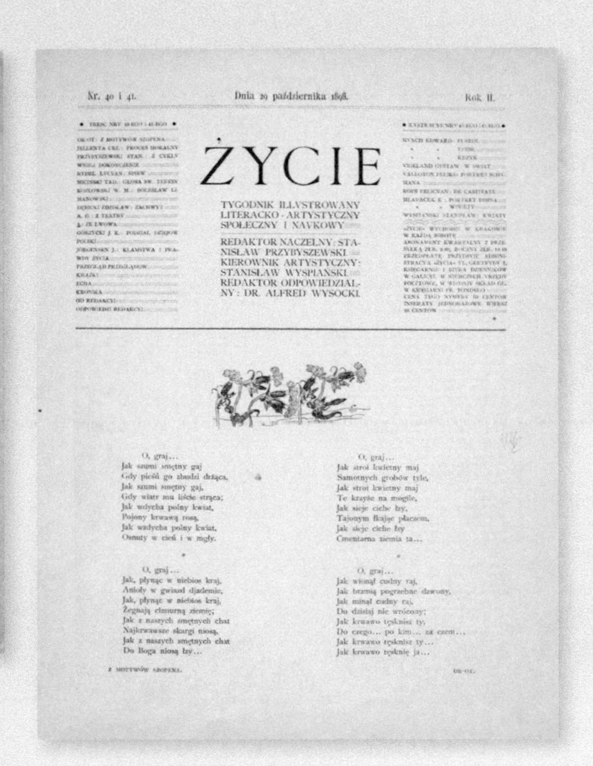

Nr. 40 i 41. Dnia 29 października 1898. Rok II.

ŻYCIE

TYGODNIK ILLVSTROWANY LITERACKO - ARTYSTYCZNY SPOŁECZNY I NAVKOWY

REDAKTOR NACZELNY: STANISŁAW PRZYBYSZEWSKI
KIEROWNIK ARTYSTYCZNY: STANISŁAW WYSPIAŃSKI
REDAKTOR ODPOWIEDZIALNY: DR. ALFRED WYSOCKI

O, graj…
Jak szumi smętny gaj
Gdy pieśń go zbudzi drżąca,
Jak szumi smętny gaj,
Gdy wiatr mu liście strąca;
Jak wdycha polny kwiat,
Pojony krwawą rosą,
Jak wdycha polny kwiat,
Osnuty w cień i w mgły.

O, graj…
Jak, płynąc w niebios kraj,
Anioły w gwiazd djademie,
Jak, płynąc w niebios kraj,
Żegnają chmurną ziemię;
Jak z naszych smętnych chat
Najkrwawsze skargi niosą,
Jak z naszych smętnych chat
Do Boga niosą łzy…

O, graj…
Jak stroi kwietny maj
Samotnych grobów tyle,
Jak stroi kwietny maj
Te krzyże na mogile,
Jak sieje ciche łzy,
Tajonym łkając płaczem,
Jak sieje ciche łzy
Cmentarna ziemia ta…

O, graj…
Jak wionął cudny raj,
Jak brzmią pogrzebne dzwony,
Jak minął cudny raj,
Do dzisiaj nie wrócony;
Jak krwawo tęsknisz ty,
Do czego… po kim… za czem…
Jak krwawo tęsknisz ty…
Jak krwawo tęsknię ja…

Z MOTYWÓW SZOPENA.

popatrz

Jak różne mogą być kształty czcionki

Jak różne mogą być kształty czcionki

Jak różne mogą być kształty czcionki

Jak różne mogą być kształty czcionki

JAK RÓŻNE MOGĄ BYĆ KSZTAŁTY CZCIONKI

zrób to sam

Zaprojektuj okładkę własnej książki.

Jeśli zainteresowała Cię postać Stanisława Wyspiańskiego,
możesz lepiej poznać jego twórczość:

ZWIEDZIĆ MUZEA:

Muzeum Narodowe w Krakowie, oddziały przy al. 3 Maja 1 oraz przy ul. Szczepańskiej 11 – zobaczysz tu dzieła artysty i pamiątki związane z jego osobą.

Muzeum Narodowe w Warszawie, Warszawa, Al. Jerozolimskie 3 – posiada bogatą kolekcję rysunków i obrazów Wyspiańskiego.

ODWIEDZIĆ MIEJSCA:

Dom Towarzystwa Lekarskiego, Kraków, ul. Radziwiłłowska 4 – tu możesz zobaczyć witraż „Apollo spętany"; jest tu także muzeum poświęcone dawnej medycynie.

Kościół Franciszkanów, Kraków, pl. Wszystkich Świętych 5 – tu można podziwiać secesyjne polichromie i słynne witraże Wyspiańskiego, w tym najsłynniejszy: „Bóg Ojciec".

Akademia Sztuk Pięknych, Kraków, pl. Matejki 13 – tu studiował Wyspiański, na ścianie budynku znajduje się poświęcona artyście tablica pamiątkowa, a w muzeum na drugim piętrze – kilka jego prac.

PRZECZYTAĆ KSIĄŻKĘ:

Marta Romanowska, „**Stanisław Wyspiański**",
Wydawnictwo BOSZ, Olszanica 2009.

ZAJRZEĆ NA STRONĘ INTERNETOWĄ:

www.wyspianski.mnw.art.pl – znajdziesz tu informacje o życiu malarza oraz jego prace.

www.wyspianski.viii-lo.krakow.pl – są tu podane informacje o życiu artysty, miejscach z nim związanych, a także galeria autoportretów.

www.pinakoteka.zascianek.pl – znajdziesz tu dużą kolekcję obrazów i grafik artysty.

zrób to sam

Pokoloruj, podklej papierem technicznym i wytnij postaci króla i królowej, przyklej do nich patyczki i zabaw się w teatr kukiełkowy.

Ha!
A teraz sprawdźmy,
co zapamiętałeś!

1.

Czy pamiętasz, kim był z zawodu ojciec Stanisława?

a) księgowym

b) sprzedawcą

c) rzeźbiarzem

2.

Jak miały na imię dzieci Wyspiańskiego?

....

....

....

3.

Kogo przedstawia ten portret?

....

4.

Z czego wykonuje się witraż?

a) z kawałków kolorowego szkła

b) ze wstążek w różnych kolorach

c) z kolorowych kamyków

5.

Jaka rzeka widoczna jest na tym obrazie?

....

6.

Jaki kopiec widział Wyspiański z okna swej pracowni?

a) kopiec kreta

b) kopiec Wandy

c) kopiec Kościuszki

7.

Co to jest pejzaż?

a) obraz przedstawiający kwiaty

b) obraz przedstawiający fragment otoczenia miejskiego, wiejskiego lub krajobraz

c) obraz przedstawiający głowę dziecka

8.

Jaki to kwiat?

....

9.

Dlaczego Wyspiański używał do malowania pasteli?

a) bo lubił, a w dodatku były one tanie

b) bo nie potrafił malować farbami olejnymi

c) bo taka była wtedy moda

10.

Czy rozpoznajesz, co to za miejsce? Jaki ma związek z Wyspiańskim?

....

....

11.

Co to jest secesja?

a) imię żony Wyspiańskiego

b) styl w sztuce

c) tytuł czasopisma, dla którego rysował Wyspiański

popatrz

W opisie dzieła znajdziesz:
tytuł pracy, **rok powstania**
oraz technikę wykonania

Prace **Stanisława Wyspiańskiego** przedstawione w książce pochodzą ze zbiorów **Muzeum Narodowego w Krakowie**:

s. 6 ***Autoportret***, **1890**, ołówek na papierze
s. 8 ***Autoportret z żoną***, **1904**, pastel na papierze
s. 8 ***Helenka z wazonem***, **1902**, pastel na papierze
s. 8 ***Portret Mietka***, **1904**, pastel na papierze
s. 10 ***Agamemnon powstaje na Achillesa***, ilustracja do „Iliady" Homera, **1896**, kredka na papierze
s. 12 ***Ucieczka do Egiptu***, projekt witraża, **1890–1891**, akwarela na papierze
s. 14 ***Błogosławiona Salomea***, **1908**, witraż
s. 16 ***Kazimierz Wielki***, projekt witraża, **1901**, pastel na papierze
s. 17 ***Apollo spętany***, **1904**, witraż
s. 18 ***Bóg Ojciec***, projekt witraża, **1904**, technika mieszana, i gotowy witraż, **1905**
s. 20 Fragmenty projektu witraża ***Błogosławiona Salomea***, **1908**, pastel na papierze
s. 21 ***Gajowiec żółty***, **1896**, karta z Zielnika, akwarela, ołówek na papierze
s. 22 ***Róże***, projekt polichromii, **1895–1896**, pastel na papierze
s. 22–23 ***Słonecznik*** i ***Nasturcje***, projekt polichromii, **1895–1896**, pastel na papierze
s. 26 ***Portret Helenki***, **1900**, pastel na papierze
s. 27 ***Helenka z wazonem***, **1902**, pastel na papierze
s. 28 ***Portret Józia Feldmana***, **1905**, pastel na papierze
s. 30 ***Macierzyństwo***, **1905**, pastel na papierze
s. 31 ***Studium dziecka***, **1901**, pastel na papierze
s. 32 ***Krasawica***, **1903**, pastel na papierze
s. 33 ***Król*** i ***Królowa Żona***, projekty kostiumów, **1904**, ołówek, kredka na papierze
s. 33 ***Portret Władysława Mickiewicza***, **1904**, węgiel na papierze
s. 34 ***Portret Juliana Nowaka***, **1904**, pastel na papierze
s. 34 ***Autoportret***, **1890**, ołówek na papierze
s. 34 ***Autoportret***, **1903**, pastel na papierze
s. 34 ***Autoportret***, **1907**, kredka na papierze
s. 35 ***Planty o świcie***, **1894**, olej na płótnie
s. 36–37 ***Widok z okna pracowni na kopiec Kościuszki*** (4 obrazy), **1904–1905**, pastel na papierze
s. 39 ***Wieże kościoła Mariackiego***, **1905**, pastel na papierze
s. 39 ***Zakola Wisły***, **1904**, pastel na papierze
s. 40 ***Zagroda w Konarach*** (2 obrazy), **1900**, pastel na papierze

---

Ze zbiorów **Muzeum Narodowego w Krakowie** pochodzą także dwa obrazy **Jana Matejki**:

s. 5 ***Autoportret***, **1887**, olej na desce
s. 16 ***Wnętrze grobu Kazimierza Wielkiego***, **1869**, olej na desce

---

Obraz **Stanisława Wyspiańskiego** na s. 8:
Śpiący Staś, **1904**, pastel na papierze, pochodzi ze zbiorów **Muzeum Narodowego w Poznaniu**

Wymyśliła i napisała
Anna Chudzik

Narysowała
Izabela Marcinek

Książkę zaprojektował
Tadeusz Nuckowski

Zdjęcia zrobili
Paweł Krzan (s. 5, 38), Paweł Mazur (s. 11, 35), Piotr Witosławski (s. 13), Krzysztof Ziarnek (s. 21), firma TEK (s. 23), firma Schmincke (s. 25), Muzeum Narodowe w Krakowie (s. 6, 7, 10)

Zdjęcia obrazów i witraży wykonał
Jacek Świderski

Mapy narysowali
Władysław Bączek, Barbara Bączek, „Meridian"

Zredagowała
Agnieszka Rymarowicz

Korektę językową wykonała
Ewa Rogucka

Ilustracje do druku przygotowało
Studio Kolor, Rzeszów

Wydrukował
OZGraf, Olsztyńskie Zakłady Graficzne SA

Książka powstała dzięki pomocy Muzeum Narodowego w Krakowie, z którego pochodzi większość przedstawionych dzieł.

Zapraszamy do odwiedzenia muzeum!

www.muzeum.krakow.pl

Printed in Poland

Olszanica 2012
Wydanie I

Wydało
Wydawnictwo BOSZ
Biuro: ul. Przemysłowa 14, 38-600 Lesko
tel. 13 4699000, faks 13 4696188
biuro@bosz.com.pl
www.bosz.com.pl

ISBN 978-83-7576-163-4

KLUCZ DO TESTU:

1. c
2. Helena, Mieczysław, Stanisław
3. Helenę
4. a
5. Wisła
6. c
7. b
8. nasturcja
9. a
10. kościół Paulinów na Skałce w Krakowie; tu pochowany został Wyspiański
11. b